KB197049

여행하는 일본어

여행이 즐거워지는 작고 가벼운 일본어 회화

1판 1쇄 발행 2024년 4월 1일

지은이 클로브 편집부
감수 스미레
사진 양미석, 김보경, 신미경
기획·편집 김지수 **디자인** designKEY **교정교열** 박성숙
인쇄 미래피앤피

펴낸이 김지수
펴낸곳 클로브
출판등록 제2023-000001호
주소 서울시 중구 세종대로 72 대영빌딩 907호
전화 070-8094-0214 **팩스** 02-2179-8327
이메일 clovebooks@naver.com
인스타그램 @clove.books

ISBN 979-11-978805-6-8 13730

여행하는 일본어

たびするにほんご

여행이 즐거워지는 작고 가벼운 일본어 회화

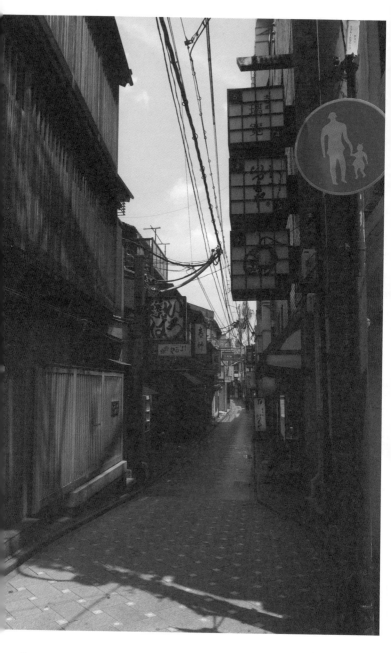

요즘 번역 앱이 얼마나 편리한데, 굳이 이런 책을 만들어야 할까? 고민을 하지 않은 건 아니다. 이 책을 만들고 있는 동안 실시간 통·번역 기능을 제공하는 스마트폰 최신 모델이 등장했다. 그런데도 여전히 이 책을 손에 들고 여행을 떠나는 상상을 한다.

출퇴근길 버스에서는 스마트폰 화면만 들여다보고 있던 사람도 여행지에서는 낯선 풍경을 조금이라도 더 담고 싶어 창밖에서 눈을 떼지 못한다. 여행 중에 필요한 말이 있을 때 스마트폰을 꺼내는 대신 이 책에 있는 문장 몇 마디 정도는 기억해서 말해보면 어떨까? 여행 전에 준비할 것도 많은데 시간 내서 일본어를 공부하고 연습할 필요는 없다. 여행에서 맞닥뜨리는 모든 상황에서 일본어를 할 필요도 없다. 호텔에서 체크인을 할 때나 식당에서 먹고 싶은 음식을 주문할 때 한두 마디라도 말해보는 거다. 그 나라의 언어로 대화해보는 경험은 분명 여행의 깊이를 다르게 할 것이다.

이 책은 일본어를 조금 할 줄 아는 편집자가 일본 여행을 갈 때마다 꼭 필요했던 말들을 모았고, 일본에서 일본어 교육을 공부하고 10년 넘게 한국인들에게 일본어를 가르치고 있는 일본인 강사가 감수했다. 또한 일본 현지에 살고 있는 20명의 일본인에게 일상에서 자주 쓰는 표현에 대해 의견을 받았다. 이 작은 책이 여러분의 여행에 즐거운 기억 하나쯤 더할 수 있기를. ✽

たびに
でるまえに

ホテルへ
くうこうから

チェックイン

カフェと
しょくどう

차례

일러두기

1 국립국어원 외래어 표기법에 따르면 어두에는 거센소리 ㅋ, ㅌ을 쓰지 않는 것이
원칙이나, 일본어의 청음과 탁음을 구분하기 위해 발음 표기에 한해 사용했다. 단,
발음할 때 한국어보다는 덜 세게 발음하는 것이 자연스럽다.

2 국립국어원 외래어 표기법에 따르면 장모음은 따로 표기하지 않는 것이 원칙이나,
이 책은 현지 발음에 가깝게 말하는 것이 목표이므로 장음 표기(一)를 사용했다.

3 표기법에 따라 적었을 때 현지 발음과 현저히 다른 경우, 현지 발음에 가깝게 적었다
(예: おやすみという ➪ 오야스미토유우). 'ん'의 발음은 주로 통용되는 발음 규칙
에 따라 적었다. 뒤에 연결되는 발음에 따라 ㄴ,ㅁ,ㅇ 중 하나에 가깝게 발음된다.
따라서 같은 단어라도 다른 발음이 될 수 있다(예: 산닝, 산닌데스).

4 일본어는 띄어쓰기를 하지 않으나, 편의성을 위해 끊어 읽어야 하는 곳에 띄어쓰기를
했다.

—1 여행을 떠나기 전에

たびに でるまえに

다음 15개의 문장은 짧은 여행에서 꼭 한 번은 쓰는 말들이다. 이 정도만 말할 수 있어도 여행이 훨씬 편해진다. 특히 "스미마셍"은 누군가를 부를 때도, 미안함이나 고마움을 전할 때도 간단하게 쓸 수 있는 마법의 말이다.

저기요.(실례합니다. / 죄송합니다.)
스미마셍.
すみません。

예. / 아니요.
하이. / 이 – 에.
はい。 / いいえ。

고맙습니다.
아리가토 – 고자이마스.
ありがとうございます。

괜찮습니다.
다이조 – 부데스.
だいじょうぶです。

일본어를 (잘) 못합니다.
니홍고가 (아마리) 데키마셍.
にほんごが (あまり) できません。

여기로 가고 싶은데요.
코코니 이키타인데스가…
ここに いきたいんですが…。

화장실이 어디인가요?
토이레와 도코데스카.
トイレは どこですか。

입어봐도 되나요? / 신어봐도 되나요?
키테미테모 이이데스카. / 하이테미테모 이이데스카.
きてみても いいですか。 / はいてみても いいですか。

이거(저거, 그거) 주세요.
코레 (아레, 소레) 쿠다사이.
これ(あれ,それ) ください。

이거 좋네요.
코레 이이데스네.
これ いいですね。

맛있네요.
오이시이데스네.
おいしいですね。

얼마예요?
이쿠라데스카.
いくらですか。

카드 사용할 수 있나요?(카드로 계산할 수 있나요?)
카-도 츠카에마스카.
カード つかえますか。

계산해주세요.
오카이케- 오네가이시마스.
おかいけい おねがいします。

짐을 좀 맡길 수 있을까요?
니모츠오 아즈케테모 이이데스카.
にもつを あずけても いいですか。

15

여 행 일 본 어 는 이 걸 로 통 한 다

생각해보면 여행 중에 쓰는 간단한 말은 대부분 비슷하게 끝난다. "~인가요?", "~있나요?", "~되나요?", "~주세요." 이렇게 끝나는 말 4가지만 알고 있어도 가게에서 물건을 사거나 식당에서 주문할 때 유용하게 쓸 수 있다.

~인가요? ~데스카.

무료인가요?
무료 – 데스카.
むりょうですか。

얼마인가요?
이쿠라데스카.
いくらですか。

몇 시인가요? / 몇 시까지인가요?
난지데스카. / 난지마데데스카.
なんじですか。 / なんじまでですか。

어디인가요?
도코데스카.
どこですか。

~있나요? ~아리마스카.

이거 있나요?
코레 아리마스카.
これ ありますか。

어디에 있나요?
도코니 아리마스카.
どこに ありますか。

~되나요? ~데키마스카.

취소되나요?
컌세루 데키마스카.
キャンセル できますか。

면세되나요?
멘케- 데키마스카.
めんぜい できますか。

~주세요 ~쿠다사이.

이거 하나 주세요.
코레 히토츠 쿠다사이.
これ ひとつ ください。

(음식 주문할 때) 달걀은 넣지 말아주세요.
타마고와 이레나이데 쿠다사이.
たまごは いれないで ください。

말하는 것만큼 듣는 것도 중요하다. 있다는 건지 없다는 건지,
된다는 건지 안 된다는 건지는 알아들어야 하니까. 일본어로
물어보면 일본어를 잘하는 줄 알고 길고 빠르게 대답해줄 때
가 있는데, 그럴 때는 멋쩍게 웃으며 "스미마셍, 니홍고가 아
마리 데키마셍"(죄송해요, 일본어를 잘 못 해요)이라고 할 수
밖에. 그러면 대부분 간단한 말로 다시 대답해준다.

예. / 아니요.
하이. / 이 – 에.
はい。 / いいえ。

있습니다. / 없습니다.
아리마스. / 아리마셍.(나이데스.)
あります。 / ありません。(ないです。)

됩니다. / 안 됩니다.
데키마스. / 데키마셍.(데키나이데스.)
できます。 / できません。(できないです。)

알겠습니다. / 모르겠습니다.   *점원들이 많이 쓰는 정중한 말.*
와카리마시타.(카시코마리마시타.) / 와카리마셍.
わかりました。(かしこまりました。) / わかりません。

조금만 기다려주세요.
쇼 – 쇼 – 오마치쿠다사이.
しょうしょう おまちください。

그건 좀 (곤란합니다).
소레와 춋토….
それは ちょっと…。

일본어를 배운 지 얼마 안 되었거나 학교 다닐 때 배우고 쓰지 않은 지 오래되었다면, 일본인에게 간단한 질문은 할 수 있겠지만 길고 빠른 답변이 훅 들어오면 다음 대화를 이어나가기 힘들다. 이때 사용해볼 수 있는 몇 가지 말이 있다.

다시 물어보기

죄송해요. 천천히 말씀해주시겠어요?
스미마셍. 윳쿠리 하나시테 모라에마스카.
すみません。ゆっくり はなして もらえますか。

죄송하지만 한 번 더 말씀해주시겠어요?
스미마셍가, 모 – 이치도 잇테 모라에마스카.
すみませんが、もういちど いって もらえますか。

죄송해요. 간단한 말로 부탁드려요.
스미마셍. 칸탄나 코토바데 오네가이시마스.
すみません。かんたんな ことばで おねがいします。

デザイン制作中
TEL 03-3863-3929

확인하기

휴무라는 말씀이신가요?
오야스미토유우 코토데스카.
おやすみという ことですか。

여권 말씀이신가요?
파스포 – 토노 코토데스카.
パスポートの ことですか。

상대방을 준비시키기

제가 일본어를 잘 못 하는데, 괜찮을까요?
와타시와 니홍고가 조 – 즈자나인데스가,
이이데스카.
わたしは にほんごが じょうずじゃないんですが,
いいですか。

공항	여행	여기
에어포ー토	**료코ー**	**코코, 코치라**
エアポート	りょこう	ここ, こちら
쿠ー코ー		
くうこう	이쪽	다음
	코치라	**츠기**
숙소	こちら	つぎ
슈쿠하쿠사키		
しゅくはくさき	교통카드	지하철
	아이시ー카ー도	**치카테츠**
여권	ICカード	ちかてつ
파스포ー토		
パスポート	표 사는 곳	출구
	킷푸우리바	**데구치**
한국(인)	きっぷうりば	でぐち
캉코쿠(진)		
韓国(人)	예약	
	요야쿠	
입국	よやく	
뉴ー코쿠		
にゅうこく		
목적		
모쿠테키		
もくてき		

2 공항에서 호텔로

くうこうから ホテルへ

요즘 일본에서는 입국 신고와 세관 신고를 QR코드로 하는 경우가 많아 입국할 때 대화할 일이 거의 없다. 몇 년 전까지만 해도 "입국 목적이 무엇인가요?"라는 질문에 "여행입니다"라고 대답할 준비를 하며 괜스레 긴장하곤 했는데 말이다. 하지만 여행에는 언제나 변수가 따르는 법. 갑자기 들려오는 일본어에 당황하지 않도록 입국 심사 줄에 서 있는 동안 "여행"이라는 단어를 떠올리며 발음해본다. 이제 여행자가 된 실감이 난다.

이쪽으로 줄을 서주세요.
코치라니 나란데 쿠다사이.
こちらに ならんで ください。

그쪽 / 저쪽
솟치 / 앗치

이쪽입니까?
콧치*데스카.
こっちですか。

여권을 보여주세요.
파스포 – 토오 미세테 모라에마스카.
パスポートを みせて もらえますか。

QR코드를 준비해주세요.
큐아루코 – 도오 줌비시테 쿠다사이.
QRコードを じゅんびして ください。

QR코드를 보여주세요.
큐아루코 – 도오 미세테 쿠다사이.
QRコードを みせて ください。

입국신고서를 써주세요.
뉴 – 코쿠싱코쿠쇼오 카이테 쿠다사이.
にゅうこくしんこくしょを かいて ください。

이쪽을 보세요.
코치라오 미테 쿠다사이.
こちらを みて ください。

입국 목적은 무엇인가요?
뉴 – 코쿠노 모쿠테키와 난데스카.
にゅうこくの もくてきは なんですか。

여행입니다.
료코 – *데스.
りょこうです。

* 출장
숫쵸 –

얼마나 머무르실 예정입니까?
도노쿠라이 타이자이스루 요테 – 데스카.
どのくらい たいざいする よていですか。

사흘입니다.
밋카데스.
みっかです。

날짜 말하기	하루 **이치니치** いちにち	닷새 **이츠카** いつか	아흐레 **코코노카** ここのか
	이틀 **후츠카** ふつか	엿새 **무이카** むいか	열흘 **토 – 카** とおか
	사흘 **밋카** みっか	이레 **나노카** なのか	
	나흘 **욧카** よっか	여드레 **요 – 카** ようか	

교통카드를 사고 싶어요

일본에서는 2023년 6월부터 일반 교통카드 발급을 중지했다. 하지만 단기 여행자라면 '웰컴 스이카'Welcome Suica나 '파스모 패스포트'Pasmo Passport라는 여행객을 위한 교통카드를 살 수 있다. 요즘은 스마트폰에 '모바일 스이카' 등을 등록해두고 사용하는 사람도 많다. 여행 갈 때마다 모바일 데이터나 교통 패스를 사용하는 방법이 새롭게 등장한다. 편리함과 피로함 사이 어딘가에서 기술은 자꾸만 발전한다.

교통카드는 어디서 살 수 있나요?

아이시 – 카 – 도와 도코데 카에마스카.

ICカードは どこで かえますか。

리무진버스 타는 곳은 어딘가요?

리무진바스*노 노리바와 도코데스카.

リムジンバスの のりばは どこですか。

(* 버스 / 택시
   바스 / 타쿠시 –)

표 사는 곳이 어디인가요?

킷푸우리바와 도코데스카.

きっぷうりばは どこですか。

> 도쿄에서 가마쿠라까지 가는 기차표

가마쿠라 패스 주세요.

가마쿠라 파스 오네가이시마스.

かまくら パス おねがいします。

예약했어요.

요야쿠시마시타.

よやくしました。

승차권를 발권하고 싶은데요.

킷푸오 핫켄시타인데스가…

きっぷを はっけんしたいんですが…。

이 열차 신주쿠역까지 가나요?

일본, 특히 도쿄 지하철은 어느 도시보다 노선이 복잡하다. 특히 열차가 다른 회사의 노선으로 진입하는 '자동 환승' 역이 있는데, 환승이라는 말만 보고 무심코 내렸다가 한참 헤맨 적이 있다. 노선만이 아니다. 출구가 159개나 된다는 신주쿠역에 처음 갔을 때는 너무나 복잡해서 출구가 아니라 탈출구를 찾고 싶은 심정이었다. 요즘도 일본 지하철역에만 가면 가끔 지도 앱을 켜고 나침반 방향에 맞추느라 제자리에서 빙빙 도는데, 그럴 때 필요한 건 와이파이보다는 약간의 용기다. 역무원이나 지나가는 사람에게 물어보는 용기.

긴자역까지 가고 싶은데요.
긴자에키마데[✻] 이키타인데스가….
ぎんざえきまで いきたいんですが…。

✻ 여기까지 / 거기까지
코코마데 / 아소코마데

어디에서 타나요?
도코카라 노리마스카.
どこから のりますか。

어디에서 내리나요?
도코데^{✻✻} 오리마스카.
どこで おりますか。

✻✻ 여기에서 / 다음에
코코데 / 츠기데

잠시만요, 내릴게요.
스미마셍, 오리마스.
すみません、おります。

얼마나 걸리나요?
도노쿠라이 카카리마스카.
どのくらい かかりますか。

이 열차 신주쿠역까지 가나요?
코노 덴샤^{✻✻✻} 신주쿠에키마데 이키마스카.
この でんしゃ、しんじゅくえきまで いきますか。

✻✻✻ 이 버스
코노 바스

1번 출구가 어디예요?
이치방 데구치와 도코데스카.
いちばん でぐちは どこですか。

키노쿠니야 서점에 가고 싶은데, 어느 출구로 나가야 하나요?
키노쿠니야 쇼텐니 이키타인데스가,
도노 데구치데스카.
きのくにや しょてんに いきたいんですが、
どの でぐちですか。

다음 열차는 급행인가요?
츠기노 덴샤와 큐 – 코 – 데스카.
つぎの でんしゃは きゅうこうですか。

가장 가까운 역이 어디예요?
이치방 치카이 에키와 도코데스카.
いちばん ちかい えきは どこですか。

방향 말하기	동쪽 **히가시** 東, ひがし	중앙 **추－오－** 中央, ちゅうおう	어디 **도코** どこ
	서쪽 **니시** 西, にし	여기 **코코** ここ	어느 쪽 **돗치** どっち
	남쪽 **미나미** 南, みなみ	저기 **아소코** あそこ	
	북쪽 **키타** 北, きた	거기 **소코** そこ	

곧 1번 선에 신주쿠, 이케부쿠로 방면행이 들어옵니다.
마모나쿠 이치방 센니 신주쿠, 이케부쿠로 호-멩유키가 마이리마스.
まもなく いちばん せんに しんじゅく、いけぶくろ ほうめんゆきが まいります。

위험하므로 노란 선 안쪽으로 물러서주세요.
아부나이데스카라 키-로이 센노 우치가와마데 오사가리쿠다사이.
あぶないですから きいろい せんの うちがわまで おさがりください。

신주쿠, 이케부쿠로 방면행 도착입니다.
신주쿠, 이케부쿠로 호-멩유키 도-차쿠데스.
しんじゅく、いけぶくろ ほうめんゆき とうちゃくです。

1번 선 문이 닫힙니다. 주의해주십시오.
이치방 센 도아가 시마리마스. 고추-이쿠다사이.
いちばん せん ドアが しまります。ごちゅういください。

열차와 승강장 사이의 간격이 넓습니다.
덴샤토 호-무노 아이다가 히로쿠 아이테 오리마스.
でんしゃと ホームの あいだが ひろく あいて おります。

발아래를 주의해주십시오.
아시모토니 고추ー이쿠다사이.
あしもとに ごちゅういください。

다음은 신주쿠, 신주쿠, 내리는 문은 왼쪽(오른쪽)입니다.
츠기와 신주쿠, 신주쿠, 오데구치와 히다리가와(미기가와)데스.
つぎは しんじゅく、 しんじゅく、 おでぐちは ひだりがわ(みぎがわ)です。

갈아타주세요.
오노리카에쿠다사이.
おのりかえください。

잊으신 물건이 없도록 주의해주세요.
오와스레모노 나사이마셍요ー, 고추ー이쿠다사이.
おわすれもの なさいませんよう、 ごちゅういください。

20대 시절이나 혼자 여행할 때는 택시 타는 건 생각도 해본 적이 없다. 주머니 사정이 넉넉지 않은 여행자에게 일본 택시는 너무나 비쌌으니까. 얼마 전 가족과 함께 도쿄로 여행을 갔는데, 하네다 공항에서 디즈니랜드까지 가는 버스를 놓쳐 처음으로 택시를 탔다. 달리는 차 안에서 보는 도쿄의 풍경은 빠르게 바뀌는 미터기의 숫자가 잠시 잊힐 만큼 시원스러웠고, 친절한 기사님과의 스몰토크도 즐거웠다.

디즈니랜드까지 가주세요.
디즈니 – 란도마데* 오네가이시마스.
ディズニーランドまで おねがいします。

여기까지
코코마데

트렁크를 열어주시겠어요?
토랑쿠오 아케테 모라에마스카.
トランクを あけて もらえますか。

오다이바까지 얼마나 걸리나요?
오다이바마데 도노쿠라이 카카리마스카.
おだいばまで どのくらい かかりますか。

요요기 공원까지 요금이 얼마나 나올까요?
요요기코 – 엠마데 이쿠라쿠라이데스카.
よよぎこうえんまで いくらくらいですか。

죄송하지만 에어컨(히터)을 좀 틀어주시겠어요?
스미마셍가,
에아콩 (히 – 타 –) 오 츠케테 모라에마스카.
すみませんが、
エアコン(ヒーター)を つけて もらえますか。

죄송하지만 라디오 소리를 좀 줄여주시겠어요?
스미마셍가,
라지오노 오토오 춋토 사게테 모라에마스카.
すみませんが、
ラジオの おとを ちょっと さげて もらえますか。

여기서 내릴게요.
코코데* 오리마스.
ここで おります。

＊ 처기서/입구에서
아소코데/이리구치데

카드 사용할 수 있나요?(카드로 계산해도 되나요?)
카 – 도 츠카에마스카.
カード つかえますか。

영수증 주시겠어요?
레시 – 토 모라에마스카.
レシート もらえますか。

고맙습니다.
아리가토 – 고자이마스.
ありがとうございます。

여행 오셨나요?
료코-데스카.
りょこうですか。

네, 한국에서 왔습니다.
하이, 캉코쿠카라 키마시타.
はい、かんこくから きました。

일본어를 잘하시네요.
니홍고 조-즈데스네.
にほんご じょうずですね。

일본어 공부를 조금 했어요.
니홍고노 벵쿄-오 스코시 시마시타.
にほんごの べんきょうを すこし しました。

대단하네요.
스고이데스네.
すごいですね。

아니에요. 고맙습니다.
이－에, 아리가토－고자이마스.
いいえ、ありがとうございます。

가족여행 오셨나요?
카조쿠 료코－데스카.
かぞくりょこうですか。

네, 아이와 디즈니랜드에 가고 싶어서요.
하이, 코도모토 디즈니－란도니 이키타쿠테.
はい、こどもと ディズニーランドに いきたくて。

즐거운 여행하세요.
타노신데 쿠다사이네.
たのしんで くださいね。

고맙습니다.
아리가토－고자이마스.
ありがとうございます。

체크인/아웃 **쳇쿠잉/아우토** チェックイン/アウト		
예약 **요야쿠** よやく	열쇠 **카기** かぎ	
금연/흡연 **킹엥/키츠엥** きんえん/きつえん	조식 **쵸ー쇼쿠** ちょうしょく	하나, 한 개 **히토츠** ひとつ
방 **헤야, 루ー무** へや, ルーム	시간 **지캉** じかん	둘, 두 개 **후타츠** ふたつ
이름 **나마에** なまえ	짐 **니모츠** にもつ	뜨거운, 더운 **아츠이** あつい
선불 **지젠세ー상** じぜんせいさん	층 **카이** かい	추운 **사무이** さむい

3 호텔 체크인

チェックイン

여행은 숙소의 모습으로 기억되곤 한다. 레인보우 브리지나 도쿄타워의 불빛이 근사하게 보이는 호텔도 좋지만, 창밖으로 옆 건물의 외벽만 보이는 작은 비즈니스호텔도 여행의 기억에서 꽤 큰 부분을 차지한다. 전날 밤 편의점에서 사온 삼각김밥을 먹으며 일본 아침 방송을 보거나, 숙소로 돌아오는 길에 사온 맥주 한 캔을 마시며 내일은 어디를 갈지 생각해보는 낯선 호텔 방의 노곤한 공기가 그립다.

체크인해주세요.
쳇쿠잉 오네가이시마스.
チェックイン おねがいします。

이지은으로 예약했습니다.
이지은데 요야쿠시테이마스.
イ・ジウンで よやくしています。

여권을 보여주세요.
파스포 – 토오 미쎄테 모라에마스카.
パスポートを みせて もらえますか。

오늘부터 2박으로 두 분이시죠?
혼지츠카라 니하쿠 니메 – 사마데쇼 – 카.
ほんじつから にはく にめいさまでしょうか。

금연(흡연)룸입니다.
킹엔 (키츠엔) 루 – 무데스.
きんえん(きつえん) ルームです。

여기에 성함, 주소, 전화번호를 기입해주세요.
코코니 오나마에, 고주 – 쇼, 오뎅와방고 – 오
고키뉴 – 오네가이시마스.
ここに おなまえ、 ごじゅうしょ、おでんわばんごうを
ごきにゅう おねがいします。

여권을 복사해도 되겠습니까?
파스포 – 토오 코피 – 시테모 이이데스카.
パスポートを コピーしても いいですか。

계산은 선불로 부탁드립니다.
오시하라이와 지젠세 – 산데 오네가이시테오리마스.
おしはらいは じぜんせいさんで おねがいしております。

카드(현금)로 해주세요.
카 – 도 (겡킨) 데 오네가이시마스.
カード(げんきん)で おねがいします。

여기 방 열쇠입니다.

코치라가 헤야노 카기데 고자이마스.

こちらが へやの かぎで ございます。

조식은 7시부터 10시까지입니다.

초 – 쇼쿠와 시치지카라 주 – 지마데데스.

ちょうしょくは しちじから じゅうじまでです。

저쪽 엘리베이터로 올라가십시오.

아치라노 에레베 – 타 – 데 오아가리쿠다사이마세.

あちらの エレベーターで おあがりくださいませ。

그럼 편히 쉬세요.

소레데와 고윳쿠리 도 – 조.

それでは ごゆっくり どうぞ。

숙박 기간 말하기	1박 **잇파쿠** いっぱく	3박 **삼파쿠** さんぱく	5박 **고하쿠** ごはく
	2일 **후츠카** ふつか	4일 **욧카** よっか	6일 **무이카** むいか
	2박 **니하쿠** にはく	4박 **용하쿠** よんはく	6박 **롯파쿠** ろっぱく
	3일 **밋카** みっか	5일 **이츠카** いつか	7일 **나노카** なのか

일본어를 배우면서부터 가족이나 친구들과 일본에 가면 호텔 체크인을 할 때 막연한 책임감을 느낀다. 물론 호텔에는 영어를 잘하는 직원이 많지만, 기왕 일본어를 배운 사람이 앞장서게 되는 것이다. 체크인할 때 나누는 대화의 패턴은 어딜 가나 비슷해서 간혹 다 알아듣지 못하고 단어 몇 개만 들어도 짐작할 수 있다. 동행자들과 같은 층으로 배정해 달라거나 체크인 시간까지 짐을 보관해 달라고 요청하는 말은 특히 요긴하다.

더블 룸으로 예약했는데요, 트윈 룸으로 바꿀 수 있을까요?
다부루루 – 무오 요야쿠시탄데스가,
츠인루 – 무니 헹코 – 데키마스카.
ダブルルームを よやくしたんですが、
ツインルームに へんこう できますか。

체크인 시간까지 짐을 보관해주시겠어요?
쳇쿠인 지캄마데 니모츠오 아즈캇테 모라에마스카.
チェックイン じかんまで にもつを あずかって もらえますか。

몇 층이에요?
낭가이데스카.
なんがいですか。

조식은 몇 시부터(까지)예요?
초 – 쇼쿠와 난지카라 (마데) 데스카.
ちょうしょくは なんじから (まで) ですか。

같은 층으로 부탁드릴 수 있을까요?
오나지 카이데 오네가이데키마스카.
おなじ かいで おねがいできますか。

옆방으로 가능할까요?
토나리노 헤야니 데키마스카.
となりの へやに できますか。

침대 하나 추가할 수 있을까요?
벳도오 히토츠 츠이카데키마스카.
ベッドを ひとつ ついかできますか。

방 열쇠 하나 더 주세요.
헤야노 카기*오 모- 히토츠 쿠다사이.
へやの かぎを もう ひとつ ください。

* 베개 / 이불
  마쿠라 / 후통

와이파이 비밀번호가 뭐예요?
와이화이노 파스와-도와 난데스카.
Wi-Fiの パスワードは なんですか。

어댑터를 빌릴 수 있을까요?
아다푸타 – *오 카리라레마스카.
アダプターを かりられますか。

* 충전 케이블 / 우산
* 주–뎅 케–부루 / 카사

근처에 맛집이 있나요?
치카쿠니 오이시이 오미세**와 아리마스카.
ちかくに おいしい おみせは ありますか。

** 편의점 / 약국
콤비니 / 얏쿄쿠

체크아웃은 몇 시까지인가요?
쳇쿠아우토와 난지마데데스카.
チェックアウトは なんじまでですか。

건물 층수 말하기	1층 **잇카이** いっかい	5층 **고카이** ごかい	9층 **큐–카이** きゅうかい
	2층 **니카이** にかい	6층 **롯카이** ろっかい	10층 **줏카이** じゅっかい
	3층 **상가이** さんがい	7층 **나나카이** ななかい	지하 1층 **지카 잇카이** ちか いっかい
	4층 **용카이** よんかい	8층 **하치카이** はちかい	지하 2층 **지카 니카이** ちか にかい

급하게 예약하다 보니 방이 남은 호텔이 별로 없어 어쩔 수 없이 흡연 룸으로 예약한 적이 있다. 아무리 흡연 룸이라도 문을 열자마자 방금 누군가 피우고 간 듯 진하게 남아 있는 담배 냄새에 깜짝 놀라 프런트에 연락했다. 만실이라 다른 방으로 바꾸지는 못하고 1시간 정도 공기청정기를 돌려주는 동안 밖에서 기다렸다. 비흡연자인 나는 이제 아무리 급해도 웬만하면 흡연 룸은 피한다. 여행을 많이 다녀봤지만 아직도 이렇게 경험해봐야 아는 것들이 있다.

방에 담배 냄새가 심한데요.
헤야노 타바코노 니오이가 키츠인데스가….
へやの たばこの においが きついんですが…。

방을 옮길 수 있을까요?
헤야오 카에테 모라에마스카.
へやを かえて もらえますか。

청소 부탁드립니다.
소 – 지 오네가이시마스.
そうじ おねがいします。

창문이 열리지 않는데요.
마도가 아카나인데스가….
まどが あかないんですが…。

뜨거운 물이 나오지 않는데요.
오유가 데나인데스가….
おゆが でないんですが…。

화장실 물이 내려가지 않는데요.
토이레노 미즈가 나가레나인데스가….
トイレの みずが ながれないんですが…。

TV가 켜지지 않아요.
테레비*가 츠카나인데스가….
テレビが つかないんですが…。

* 에어컨 / 드라이어
  에아콩 / 도라이야-

방이 너무 더운데요.
헤야가 토레모 아츠인데스가**….
へやが とても あついんですが…。

** 추운데요
   사무인데스가

인터넷이 안 되는데요.
인타-넷토가 데키나인데스가….
インターネットが できないんですが…。

세탁 서비스 있나요?
란도리 – 사 – 비스와 아리마스카.
ランドリーサービスは ありますか。

수건 좀 더 주시겠어요?
타오루오 모 – 스코시 모라에마스카.
タオルを もう すこし もらえますか。

열쇠를 방 안에 두고 나왔어요.
카기오 헤야니 오이테 키테시맛탄데스가….
かぎを へやに おいて きてしまったんですが…。

카드키를 잃어버렸는데요.
카 – 도키 – 오 나쿠시테 시맛탄데스가….
カードキーを なくして しまったんですが…。

리모컨 버튼 읽기	운전(전원) **운텡** 運転, うんてん	난방 **담보 –** 暖房, だんぼう	타이머 **타이마 –** タイマー
	정지 **테 – 시** 停止, ていし	온도 **온도** 温度, おんど	취침모드 **오야스미** おやすみ
	냉방 **레 – 보 –** 冷房, れいぼう	풍량 **후 – 료 –** 風量, ふうりょう	
	제습 **조시츠** 除湿, じょしつ	풍향 **후 – 코 –** 風向, ふうこう	

커기, 호텔 근처에 맛집이 있나요?
아노ー, 호테루노 치카쿠니 오이시이 오미세와 아리마스카.
あのう、ホテルの ちかくに おいしい おみせは ありますか。

음, 라멘 좋아하시나요? 근처에 괜찮은 라멘집이 하나 있습니다.
음, 라ー멩와 오스키데스카.
치카쿠니 오이시이 라ー멩야가 히토츠 아리마스.
うーん、ラーメンは おすきですか。
ちかくに おいしい ラーメンやが ひとつ あります。

정말요? 라면 엄청 좋아해요! 가게 이름이 뭔가요?
혼토ー데스카. 라ー멩 다이스키데스! 오미세노 나마에와 난데스카.
ほんとうですか。ラーメン だいすきです！
おみせの なまえは なんですか。

'아후리'예요. 유자 시오라멘이 맛있답니다.
'아후리'데스. 유즈 시오라ー멩가 오이시이데스요.
'AFURI'です。ゆず しおラーメンが おいしいですよ。

좋네요! 여기에서 얼마나 걸리나요?
이이데스네! 코코카라 도노쿠라이 카카리마스카.
いいですね！ ここから どのくらい かかりますか。

걸어서 3분 정도 걸립니다.
호텔 입구에서 오른쪽으로 쭉 걸어가시면 있어요.
아루이테 삼푼 구라이데스. 호테루노 이리구치오 데테,
미기니 맛스구 아루이테잇타라, 아리마스요.
あるいて さんぷん ぐらいです。ホテルの いりぐちを でて、
みぎに まっすぐ あるいていったら、ありますよ。

정말 고맙습니다.
혼토ー니 아리가토ー고자이마스.
ほんとうに ありがとうございます。

HARMONICA KITCHEN
AND BAR

Café

식당	흡연석	생맥주	
쇼쿠도ー	**키츠엔세키**	**나마비ー루**	
しょくどう	きつえんせき	なまビール	
레스토랑			
レストラン			
카페	주문	음료	계산
카훼	**추ー몽**	**노미모노**	**오카이케ー**
カフェ	ちゅうもん	のみもの	おかいけい
만석	추천 메뉴	취소	영수증
만세키	**오스스메**	**캰세루**	**레시ー토**
まんせき	おすすめ	キャンセル	レシート
금연석	물	음식	화장실
킹엔세키	**오미즈**	**타베모노**	**토이레**
きんえんせき	おみず	たべもの	トイレ

4 식당과 카페

しょくどうと カフェ

여기저기 다니다 보니 시간은 늦고, 빨리 호텔에 가서 딱
눕고만 싶은데 배는 고픈 밤이었다. 구글맵에 표시해둔 식
당을 찾아가는 길에 지하철역에서 엉뚱한 출구로 나와 버
렸다. 호텔 근처라 오히려 잘됐다 싶어 가까운 식당을 찾아
갔는데 영업이 끝났다고 해서 맛있는 저녁은 포기해야겠구
나 하며 엘리베이터를 탔다. 당연히 1층에서 열릴 줄 알았
던 문이 이유를 모르게 지하 1층에서 열렸고, 마주해 있던
스페인 식당 입구에서 직원이 "이랏샤이마세" 하며 반겼
다. 그렇게 홀린 듯 들어가 먹은 파에야가 지금까지 먹어본
중 제일이었다는 그날의 해피엔딩.

자리 있나요?
세키 아리마스카.
せき ありますか。

예약하셨나요?
요야쿠시마시타카.
よやくしましたか。

예약했습니다.
요야쿠시마시타.
よやくしました。

예약 안 했는데요.
요야쿠시테나인데스가….
よやくしてないんですが…。

죄송합니다. 지금은 만석입니다.
스미마셍. 이마와 만세키데스.
すみません。いまは まんせきです。

죄송합니다. 10시에 문을 닫습니다.
스미마셍. 주－지니 시마리마스.
すみません。じゅうじに しまります。

이쪽에서 기다려주세요.
코치라데 오마치쿠다사이마세.
こちらで おまちくださいませ。

어서 오세요. 몇 분이십니까?
이랏샤이마세, 남메 – 사마데스카.
いらっしゃいませ。なんめいさまですか。

혼자/두 명/네 명
히토리/후타리/요닌

세 명이에요.
산닌*데스.
さんにんです。

어른 두 명, 아이 한 명이에요.
오토나 후타리, 코도모 히토리데스.
おとな ふたり、 こども ひとりです。

이쪽으로 오세요.
코치라에 도 – 조.
こちらへ どうぞ。

창가에 앉고 싶어요.
마도가와**니 스와리타인데스가….
まどがわに すわりたいんですが…。

금연석/흡연석/거기
킹엔세키/키츠엔세키/아소코

잠깐만 기다려주세요.
쇼 – 쇼 – 오마치쿠다사이.
しょうしょう おまちください。

다음 손님, 들어오세요.
츠기노 오캬쿠사마, 오하이리쿠다사이.
つぎの おきゃくさま、 おはいりください。

인원수 말하기	한 명, 혼자 **히토리** ひとり	세 명 **산닝** さんにん	다섯 명 **고닝** ごにん
	두 명 **후타리** ふたり	네 명 **요닝** よにん	여섯 명 **로쿠닝** ろくにん

일단 맥주 한 잔 주세요

일본으로 여행을 가는 친구에게 말했다. "이것만 기억하고
가. 토리아에즈 나마비루 쿠다사이, 일단 생맥주 주세요."
반은 농담이었지만, 식당에 들어가 앉아 일단 한 모금 마시
는 생맥주의 맛은 일본 여행에서 놓칠 수 없는 즐거움이다.
맥주 한 모금의 칼칼한 냉기를 지친 다리 끝까지 내려보내
고 나면 반질반질 잘 익은 꼬치구이도, 김이 모락모락 나는
오코노미야키도, 따끈한 라멘 한 그릇도 훨씬 더 맛있게 먹
을 수 있다.

주문하시겠어요?(주문 결정하셨나요?)
고추 – 몽와 오키마리데스카.
ごちゅうもんは おきまりですか。

조금만 더 기다려주실래요?
모 – 스코시 맛테 모라에마스카.
もう すこし まって もらえますか。

한국어 메뉴 있나요?

* 영어
에 – 고

캉코쿠고*노 메뉴 – 와 아리마스카.
かんこくごの メニューは ありますか。

죄송하지만 없습니다.
모 – 시와케아리마셍가, 요 – 이시테 오리마셍.
もうしわけありませんが、 よういして おりません。

주문해도 될까요?
추 – 몬시테모 이이데스카.
ちゅうもんしても いいですか。

일단 생맥주 하나 주세요.
토리아에즈 나마비 – 루 히토츠** 오네가이시마스.
とりあえず、 なまビール ひとつ おねがいします。

** 둘/셋
후타츠/밋츠

추천 메뉴가 있나요?
오스스메와 아리마스카.
おすすめは ありますか。

73

이게 제일 인기가 많아요.
코레가 이치방 닝키데스.
これが いちばん にんきです。

짠가요?
시오카라이데스카
*
단가요?
아마이데스카

이거 매운가요?
코레 카라이데스카*.
これ からいですか。

달걀은 넣지 말고 주세요.
타마고**와 이레나이데 쿠다사이.
たまごは いれないで ください。

오이/견과류/갑각류/조개류
**
큐ー리/낫츠/코ー카쿠루이/카이루이

이거 하나 주세요.
두 개/세 개
***
후타츠/밋츠
코레 히토츠*** 쿠다사이.
これ ひとつ ください。

이거랑 이거 주세요.
코레토 코레 쿠다사이.
これと これ ください。

네, 알겠습니다.
하이, 카시코마리마시타.
はい、 かしこまりました。

음료는 어떻게 하시겠어요?
오노미모노와 이카가 나사이마스카.
おのみものは いかが なさいますか。

음료 메뉴를 주시겠어요?
노미모노노 메뉴 – 모라에마스카.
のみものの メニュー もらえますか。

다른 주문은 없으세요?
호카노 고추 – 몽와 고자이마셍카.
ほかの ごちゅうもんは ございませんか。

콜라 두 잔
코 – 라 후타츠

커피 한 잔 주세요.
코 – 히 – 히토츠* 오네가이시마스.
コーヒー ひとつ おねがいします。

물 주시겠어요?
오미즈 모라에마스카.
おみず もらえますか。

오래 기다리셨습니다.
오마타세시마시타.
おまたせしました。

천천히 드세요.(맛있게 드세요.)
고윳쿠리 오메시아가리쿠다사이마세.
ごゆっくり おめしあがりくださいませ。

메뉴 읽기

소고기 **규ー니쿠** 牛肉, ぎゅうにく	오징어 **이카** いか(イカ)	파 **네기** ねぎ(ネギ)
돼지고기 **부타니쿠** 豚肉, ぶたにく	문어 **타코** たこ(タコ)	마늘 **닌니쿠** にんにく
닭고기 **토리니쿠** 鶏肉, とりにく	밥 **고항, 라이스** ごはん, ライス	튀김 **~텐, 템푸라** ~天, てんぷら
생선 **사카나** 魚, さかな	달걀 **타마고** たまご	구이 **~야키, 야키모노** ~焼き, やきもの
회 **사시미** 刺身, さしみ	소금 **시오** しお	전골 **나베** 鍋, なべ
초밥 **스시** 寿司, すし	간장 **쇼ー유** しょうゆ	덮밥 **~동, 돈부리** ~丼, どんぶり
새우 **에비** えび(エビ)	된장 **미소** みそ	꼬치구이 **쿠시야키** 串焼き, くしやき

맛있었어요

대단한 미식가는 아니지만 여행 갈 때는 식당 몇 군데는 미리 정해두고 가는 편이다. 특히 짧은 여행인 경우 한 끼라도 대충 때우는 건 서운한 일이다. 기대만큼은 아니라 실망할 때가 있긴 해도 상상했던 맛을 실제로 경험하는 일 자체가 여행의 즐거움 중 하나이므로. 정성을 다해 내어준 한 그릇의 음식을 먹고 나면 맛있게 먹었다는 인사 정도는 꼭 하고 싶어진다. 아름다울 '미'^美와 맛 '미'^味로 이루어진 "오이시이"는 감사의 인사로 더할 나위 없다.

주문 바꿔도 될까요?
추 – 몽 카에테모 이이데스카.
ちゅうもん かえても いいですか。

이거 취소할 수 있을까요?
코레 캰세루 데키마스카.
これ キャンセル できますか。

화장실이 어디인가요?
토이레와 도코데스카.
トイレは どこですか。

주문한 음식이 아직 안 나왔는데요.
추 – 몬시타 료 – 리가 마다 데테나인데스가….
ちゅうもんした りょうりが まだ でてないんですが…。

물 주세요.
오미즈* 오네가이시마스.
おみず おねがいします。

* 따뜻한 물
오유

젓가락 하나 더 주세요.
오하시** 모 – 히토츠 오네가이시마스.
おはし もう ひとつ おねがいします。

** 앞접시
오사라

계산해주세요.
오카이케 – 오네가이시마스.
おかいけい おねがいします。

따로따로 계산해주세요.
베츠베츠니 오네가이시마스.
べつべつに おねがいします。

카드 사용할 수 있나요?(카드로 계산할 수 있나요?)
카 – 도 츠카에마스카.
カード つかえますか。

영수증 주시겠어요?
레시 – 토 모라에마스카.
レシート もらえますか。

맛있었어요.
오이시캇타데스.
おいしかったです。

잘 먹었습니다.
고치소 – 사마데시타.
ごちそうさまでした。

1 **이치** いち	40 **욘주ー** よんじゅう	700 **나나햐쿠** ななひゃく
2 **니** に	50 **고주ー** ごじゅう	800 **핫퍄쿠** はっぴゃく
3 **상** さん	60 **로쿠주ー** ろくじゅう	900 **큐ー햐쿠** きゅうひゃく
4 **용** よん	70 **나나주ー** ななじゅう	1000 **셍** せん
5 **고** ご	80 **하치주ー** はちじゅう	2000 **니셍** にせん
6 **로쿠** ろく	90 **큐ー주ー** きゅうじゅう	3000 **산젱** さんぜん
7 **나나** なな	100 **햐쿠** ひゃく	4000 **욘셍** よんせん
8 **하치** はち	200 **니햐쿠** にひゃく	5000 **고셍** ごせん
9 **큐ー** きゅう	300 **삼뱌쿠** さんびゃく	6000 **로쿠셍** ろくせん
10 **주ー** じゅう	400 **용햐쿠** よんひゃく	7000 **나나셍** ななせん
20 **니주ー** にじゅう	500 **고햐쿠** ごひゃく	8000 **핫셍** はっせん
30 **산주ー** さんじゅう	600 **롯퍄쿠** ろっぴゃく	9000 **큐ー셍** きゅうせん

예시   전부 2680엔입니다.
오카이케ー 니셍 롯퍄쿠 하치주ー 엔니 나리마스.
おかいけい にせん ろっぴゃく はちじゅう えんに なります。

81

'킷사텐'きっさてん이라 일컫는 일본 특유의 전통 찻집에 가는 걸 좋아한다. 그런 곳은 대부분 아메리카노나 카페라테처럼 에스프레소를 베이스로 한 커피보다는 '코-히-'라는 드립 커피를 판다. 아메리카노보다는 진한 편인데, 뜨거운 커피는 '홋토 코-히-' 또는 '브랜도 코-히'를 주문하면 되고, 차가운 커피는 '아이스 코-히-'를 주문하면 된다. 하루쯤은 고풍스러운 소파에 앉아 토스트나 간단한 샌드위치와 함께 나오는 모닝 세트로 시작해보는 것도 괜찮은 선택이다.

주문하시겠어요?
고추 – 몽와 이카가 나사이마스카.
ごちゅうもんは いかが なさいますか。

따뜻한 커피 하나 주세요.
홋토 코 – 히 – 히토츠* 오네가이시마스.
ホットコーヒー ひとつ おねがいします。

아이스커피/케이크/2개/3개
아이스코 – 히 – /케 – 키/후타츠/밋츠

사이즈는 어떤 걸로 하시겠어요?
사이즈와 이카가 나사이마스카.
サイズは いかが なさいますか。

작은 사이즈로 주세요.
치 – 사이** 사이즈데 오네가이시마스.
ちいさい サイズで おねがいします。

큰/중간
오 – 키이/레규라 –

시럽은 빼주세요.
크림
쿠리 – 무
시롯푸*** 누이테 쿠다사이.
シロップ ぬいて ください。

85

여기서 드시고 가시나요?
코치라데 오메시아가리데스카.
こちらで おめしあがりですか。

매장에서 드시나요?
텐나이오 고리요-데스카.
てんないを ごりようですか。

가져가시나요?
오모치카에리데스카.
おもちかえりですか。

테이크아웃으로요.
테이쿠아우토데.
テイクアウトで。

커피 정말 맛있네요.
코ー히ー 혼토ー니 오이시이데스.
コーヒー ほんとうに おいしいです。

고맙습니다. 한국에서 오셨나요?
아리가토ー고자이마스. 캉코쿠카라 이랏샷탄데스카.
ありがとうございます。
かんこくから いらっしゃったんですか。

네, 서울에서 왔어요.
하이, 소ー루카라 키마시타.
はい、 ソウルから きました。

오, 그렇군요. 저 서울에 가본 적 있어요.
헤에, 소ー난데스카.
와타시 소ー루니 잇타코토가 아리마스.
へえ、 そうなんですか。
わたし ソウルに いったことが あります。

88

정말요? 언제요?
혼토-데스카? 이츠데스카?
ほんとうですか。 いつですか。

작년 여름에 갔어요. 좋았어요. 도쿄에서는 어디를 여행하세요?
쿄넨노 나츠니 이키마시타.
요캇타데스. 토-쿄-데와 도코니 이쿤데스카.
きょねんの なつに いきました。
よかったです。 とうきょうでは どこに いくんですか。

아이랑 디즈니랜드도 가고, 츠타야나 키노쿠니야같은 서점도 가요
코도모토 디즈니-란도니 잇타리, 츠타야토카
키노쿠니야미타이나 홍야니모 잇타리시마스.
こどもと ディズニーランドに いったり、TSUTAYA とか
きのくにやみたいな ほんやにも いったりします。

아. 재밌겠어요. 즐거운 여행하세요.
헤에. 타노시소-데스네. 타노신데 쿠다사이네.
へえ。 たのしそうですね。 たのしんで くださいね。

고맙습니다.
아리가토-고자이마스.
ありがとうございます。

가게(shop)	저거	
미세, 숏푸	**아레**	
みせ, ショップ	あれ	

편의점	그거	좋다
콤비니	**소레**	**이이**
コンビニ	それ	いい

서점	다른	착용
쇼텡, 홍야	**호카노**	**시차쿠**
しょてん, ほんや	ほかの	しちゃく

문구점	사이즈	봉투
붐보-구야	**사이즈**	**후쿠로**
ぶんぼうぐや	サイズ	ふくろ

백화점	색깔	얼마
데파-토	**이로**	**이쿠라**
デパート	いろ	いくら

어디	크다	카드
도코	**오-키이**	**카-도**
どこ	おおきい	カード

이거	작다	교환
코레	**치-사이**	**코-캉**
これ	ちいさい	こうかん

5 상점

ショップ

일본에 가면 한국에는 발매되지 않은 운동화를 찾아본다. 한정판 운동화 같은 대단한 물건이 아니더라도 여행 갔을 때 그곳에서만 살 수 있는 물건을 찾는 재미는 쏠쏠하다. 후쿠오카 모모치 해변을 산책한 뒤 근처에 열린 플리 마켓에서 인상 좋게 웃으시던 할머니에게 100엔을 주고 산 하트 모양 목걸이, 도쿄 다이칸야마에서 친구들과 서로서로 골라준 작은 자수 브로치 같은 물건에는 여행의 소중한 장면이 담겨 있다.

찾으시는 거 있으세요?
나니카 오사가시데스카.
なにか おさがしですか。

이거 (어디) 있나요?
코레 (도코니) 아리마스카.
これ (どこに) ありますか。

아, 아니요. 그냥 둘러볼게요.
아, 이 – 에, 미테루다케데스.
あ、 いいえ、 みてるだけです。

천천히 보세요.
고윳쿠리 고랑쿠다사이.
ごゆっくり ごらんください。

그거 보여주세요.
소레* 미쎄테 쿠다사이.
それ みせて ください。

> * 커거
> 아래

(상의) 입어봐도 되나요?
키테미테모** 이이데스카.
きてみても いいですか。

> ** (하의) 입어봐도, 신어봐도 / (모자) 써봐도
> 하이테미테모 / 카붓테미테모

물론이죠.
모치론데스.
もちろんです。

93

이거 다른 색도 있나요?

코레, 호카노 이로모 아리마스카.

これ、 ほかの いろも ありますか。

그런데 좀 작은 것 같아요.

데모, 춋토 치 - 사이미타이*데스.

でも、 ちょっと ちいさいみたいです。

*　큰 것 같아
　오-키이미타이

더 큰 사이즈 있을까요?

못토 오 - 키이** 사이즈와 아리마스카.

もっと おおきい サイズは ありますか。

**　작은
　치-사이

일본 사이즈는 센티미터(cm)로 말한다. 점은 '텡'이라고 한다.

이걸로 24.5 사이즈 신어볼 수 있을까요?

코레노 니주 - 욘텡고, 하이테미테모 이이데스카.

これの にじゅうよんてんご、 はいてみても いいですか。

괜찮네요. 이걸로 할게요.

이이데스네. 코레니 시마스.

いいですね。 これに します。

좀 생각해볼게요.
춋토 캉가에마스.
ちょっと かんがえます。

좀 둘러보고 올게요.
춋토 이로이로 미테 키마스.
ちょっと いろいろ みて きます。

22 **니주ー니** にじゅうに	**26** **니주ー로쿠** にじゅうろく
22.5 **니주ー니텡고** にじゅうにてんご	**26.5** **니주ー로쿠텡고** にじゅうろくてんご
23 **니주ー상** にじゅうさん	**27** **니주ー나나** にじゅうなな
23.5 **니주ー산텡고** にじゅうさんてんご	**27.5** **니주ー나나텡고** にじゅうななてんご
24 **니주ー용** にじゅうよん	**28** **니주ー하치** にじゅうはち
24.5 **니주ー욘텡고** にじゅうよんてんご	**28.5** **니주ー핫텡고** にじゅうはってんご
25 **니주ー고** にじゅうご	**29** **니주ー큐ー** にじゅうきゅう
25.5 **니주ー고텡고** にじゅうごてんご	**29.5** **니주ー큐ー텡고** にじゅうきゅうてんご

선
물
포
장
해
주
실
수
있
나
요
?

일본어에는 선물을 뜻하는 단어가 여럿 있다. 일반적으로는 영어 'present'를 가타카나로 써서 '푸레젠토'プレゼント라 하고, 격식을 차린 선물은 '오쿠리모노'おくりもの, 여행이나 출장을 가서 사온 선물은 '오미야게'おみやげ라 한다. 일본에서 물건을 사면 점원이 "고지타쿠요-"ごじたくよう,ご自宅用인지 "푸레젠토요-"プレゼントよう인지 물어볼 때가 있는데, 집에서 직접 쓸 물건인지 선물용인지를 묻는 것이다. 이때 집에서 쓸 물건이라고 해도 대부분 대충 담아주는 법은 없어 내가 사고도 선물 받은 느낌이 들곤 한다.

(전부) 얼마예요?
(젬부데) 이쿠라데스카.
(ぜんぶで) いくらですか。

이거 면세로 살 수 있나요?
코레 멘제ー데 카에마스카.
これ めんぜいで かえますか。

(계산 차례가 되었을 때) 이쪽으로 오세요.
코치라에 도ー조.
こちらへ どうぞ。

이 카드 사용할 수 있나요?
코노 카ー도 츠카에마스카.
この カード つかえますか。

이 카드는 사용할 수 없습니다.
코노 카ー도와 고리요ー 이타다케마셍.
この カードは ごりよう いただけません。

선물 포장해주실 수 있나요?

푸레젠토요 - 니 시테 모라에마스카.

プレゼントように して もらえますか。

따로 담아주세요.

베츠베츠니 이레테 모라에마스카.

べつべつに いれて もらえますか。

영수증 주시겠어요?

레시 - 토 모라에마스카.

レシート もらえますか。

(삼각김밥 등) 데워드릴까요?

아타타메마스카.

あたためますか。

봉투 드릴까요?

후쿠로 오츠케시마스카.

ふくろ、おつけしますか。

환불
* 헴핀

죄송하지만, 교환될까요?

스미마셍가, 코 - 칸* 데키마스카.

すみませんが、 こうかん できますか。

101

안녕하세요, 엄마께 드릴 선물을 고르고 있는데요.
콘니치와, 하하에노 푸레젠토오 사가시테룬데스가···.
こんにちは。 ははへの プレゼントを さがしてるんですが…。

그러세요? 이 모자는 어떠세요?
소ー데스카. 코노 보ー시와 이카가데스카.
そうですか。 この ぼうしは いかがですか。

아, 예쁘긴 한데, 화려한 색을 별로 좋아하지 않으셔서요.
아, 키레ー데스케도, 아카루이 이로와 암마리 스키쟈나이노데···.
あ、 きれいですけど、 あかるい いろは あんまり すきじゃ
ないので…。

그럼 이 검은색 모자는 어떠세요? 무척 따뜻해요.
데와, 코노 쿠로이 보ー시와 이카가데스카.
토테모 아타타카이데스요.
では、 この くろい ぼうしは いかがですか。
とても あたたかいですよ。

그거 좋네요! 혹시 장갑도 있나요?
소레, 이이데스네! 테부쿠로모 아리마스카.
それ、 いいですね！ てぶくろも ありますか。

그럼요. 저쪽에 있습니다.
하이. 아치라니 고자이마스.
はい。 あちらに ございます。

장갑도 예쁘네요. 그럼 검은색 모자랑 갈색 장갑으로 할게요.
테부쿠로모 키레ー데스네.
쟈ー, 쿠로이 보ー시토 차이로노 테부쿠로니 시마스.
てぶくろも きれいですね。
じゃあ、 くろい ぼうしと ちゃいろの てぶくろに します。

선물 포장해드릴까요?
푸레젠토요-노 랏핑구오 이타시마쇼-카.
プレゼントようの ラッピングを いたしましょうか。

네, 해주세요.
하이, 오네가이시마스.
はい、 おねがいします。

관광
캉코-
かんこう

미술관
비주츠캉
びじゅつかん

박물관
하쿠부츠캉
はくぶつかん

공원
코-엥
こうえん

대학교
다이가쿠
だいがく

신사
진자
じんじゃ

절
오테라
おてら

휴관
큐-캉
きゅうかん

매진
우리키레
うりきれ

매표소
킷푸우리바
きっぷうりば

입장료
뉴-조-료-
にゅうじょうりょう

자동판매기
지도-켐바이키
じどうけんばいき

코인로커
코인롯카-
コインロッカー

충전
주-뎅
じゅうてん

사진
샤싱
しゃしん

6 관광지

かんこうち

하루 8~9시간은 꼬박 앉아서 모니터만 들여다보는 일상을 살고 있지만, 여행지에서는 반나절이면 1만 보를 훌쩍 넘기며 걷고 또 걷는다. 출퇴근 버스에서는 별 목적 없이 스마트폰 속 세상을 손가락으로 이리저리 기웃거리지만, 여행지에서는 지도나 필요한 정보를 찾아볼 때 말고는 스마트폰을 잘 꺼내지 않는다. 낯선 풍경을 한순간이라도 더 담고 싶어 눈길이 바쁘다. 그러고 보면 나는 일상이 익숙하다고 착각하며 매일 근사한 뭔가를 놓치고 있는지도 모르겠다.

여기에 가보고 싶어요.
코코니 잇테미타이데스.
ここに いってみたいです。

여기까지 어떻게 가나요?
코코마데 도 – 얏테 이키마스카.
ここまで どうやって いきますか。

여기는 예약이 필요할까요?(예약을 해야 할까요?)
코코와 요야쿠가 히츠요 – 데스카.
ここは よやくが ひつようですか。

여기 몇 시에 열어요?
코코와 난지니 아키마스카.
ここは なんじに あきますか。

* 닫아요?
* 시마리마스카

오전 9시에 열어요.
고켕 쿠지니 아키마스.
ごぜん くじに あきます。

오후 6시에 닫아요.
고고 로쿠지니 시마리마스.
ごご ろくじに しまります。

매주 월요일은 휴관입니다.
마이슈 – 게츠요 – 비와 큐 – 칸데스.
まいしゅう げつようびは きゅうかんです。

오늘은 임시휴관입니다.
혼지츠와 린지큐 – 칸데스.
ほんじつは りんじきゅうかんです。

매진되었습니다.
우리키레마시타.
うりきれました。

109

1시 **이치지** いちじ	8시 **하치지** はちじ	월요일 **게츠요ー비** げつようび
2시 **니지** にじ	9시 **쿠지** くじ	화요일 **카요ー비** かようび
3시 **산지** さんじ	10시 **주ー지** じゅうじ	수요일 **스이요ー비** すいようび
4시 **요지** よじ	11시 **주ー이치지** じゅういちじ	목요일 **모쿠요ー비** もくようび
5시 **고지** ごじ	12시 **주ー니지** じゅうにじ	금요일 **킹요ー비** きんようび
6시 **로쿠지** ろくじ	30분 **산줏풍** さんじゅっぷん	토요일 **도요ー비** どようび
7시 **시치지** しちじ		일요일 **니치요ー비** にちようび

도쿄 우에노 공원은 우에노 모리 미술관, 국립 서양 미술관, 도쿄도 미술관, 도쿄 국립 박물관이 있고, 가까운 곳에 도쿄 예술대학 대학미술관까지 있어 전시 감상과 공원 산책을 번 갈아 하며 하루 정도 느긋한 시간을 보내기에 좋다. 그리고 날이 어둑해질 때쯤에는 지하철을 타고 롯폰기 힐스에 있는 모리 미술관에서 전시를 보고 전망대에서 도쿄 야경을 보는 거다. 아, 아무래도 방금 느긋한 하루라고 한 말은 취소해야 겠다.

매표소가 어디예요?
킷푸우리바와 도코데스카.
きっぷうりばは どこですか。

입장료가 얼마예요?
뉴 – 조 – 료 – 와 이쿠라데스카.
にゅうじょうりょうは いくらですか。

아이는 무료인가요?
코도모와 무료 – 데스카.
こどもは むりょうですか。

어른 두 명, 아이 한 명이에요.
오토나 후타리, 코도모* 히토리데스.
おとな ふたり、 こども ひとりです。

학생
가쿠세–

자동판매기에서 구입해주세요.
지도 – 켐바이키데 오카이모토메쿠다사이마세.
じどうけんばいきで おかいもとめくださいませ。

팸플릿 하나 주세요.
팡후렛토오 히토츠 쿠다사이.
パンフレットを ひとつ ください。

한국어 팸플릿이 있나요?
캉코쿠고노 팡후렛토와 아리마스카.
かんこくごの パンフレットは ありますか。

오디오 가이드는 어디서 빌리나요?

오 – 디오 가이도와 도코데 카리라레마스카.

オーディオ ガイドは どこで かりられますか。

코인 로커는 어디에 있나요?

코인롯카 – 와 도코니 아리마스카.

コインロッカーは どこに ありますか。

저쪽으로 쭉 가면 있습니다.

아치라니 맛스구 이쿠토 고자이마스.

あちらに まっすぐ いくと、 ございます。

매표소 옆에 있습니다.

킷푸우리바노 토나리니 아리마스.

きっぷうりばの となりに あります。

보는 데 얼마나 걸리나요?

미루노니* 도레쿠라이 카카리마스카.

みるのに どれくらい かかりますか。

> * 들어가는 데/타는 데
> 하이루노니/노루노니

2시간 정도 걸립니다.

니지캉** 쿠라이 카카리마스.

にじかん くらい かかります。

> ** 30분/1시간
> 산줏풍/이치지캉

아이와 함께 일본에 가면 디즈니랜드나 유니버셜스튜디오가 일정에 포함되는 경우가 많다. 놀이공원에 가는 건 꽤 높은 집중력과 지구력, 체력이 필요한 일이다. 가기 전에 다양한 입장권 종류와 주요 놀이기구를 파악하고 입장권을 미리 구매하는 것은 물론, 앱 설치와 가입, 오픈 런, 입장 후 놀이기구 탑승 시간 예약, 식당 자리 잡기와 기나긴 줄 서기까지 다양한 관문을 통과해야 한다. 그럼에도 기꺼이 해내는 건 근육통보다는 추억이 오래 가기 때문일까.

얼마나 기다리나요?
도노쿠라이 마치마스카.
どのくらい まちますか。

몇 시에 시작하나요?
난지니 하지마리마스카*.
なんじに はじまりますか。

*끝나나요?
오와리마스카

여기서 불꽃놀이를 볼 수 있나요?
코코데 하나비**오 미루코토가 데키마스카.
ここで はなびを みることが できますか。

** 퍼레이드/이벤트
파레-도/이벤토

휴대폰 충전할 수 있는 곳이 있나요?
케-타이오 주-덴 데키루 토코로와 아리마스카.
ケータイを じゅうでん できる ところは ありますか。

사진 찍어도 되나요?
샤싱오 톳테모 이이데스카.
しゃしんを とっても いいですか。

전시실 안은 촬영 금지입니다.
텐지시츠노 나카와 사츠에- 킨시데스.
てんじしつの なかは さつえい きんしです。

사진은 찍지 마세요.
샤싱와 토라나이데 쿠다사이.
しゃしんは とらないで ください。

사진 좀 찍어주시겠어요?
샤싱오 톳테 모라에마스카.
しゃしんを とって もらえますか。

팝콘 파는 곳이 어디예요?
폿푸코 - 옹 우리바와 도코데스카.
ポップコーン うりばは どこですか。

셔틀버스 타는 곳은 어디인가요?
샤토루바스노 노리바*와 도코데스카.
シャトルバスの のりばは どこですか。

* 식당/카페/화장실/기념품숍
쇼쿠도 - /카훼/토이레/오미야게숏푸

입구	전시실	매너 모드
이리구치	**텐지시츠**	**마나-모-도**
入口	展示室	マナーモード
출구	출입 금지	주의
데구치	**타치이리킨시**	**고추-이**
出口	立入禁止	ご注意
비상구	촬영 금지	
히조-구치	**사츠에-킨시**	
非常口	撮影禁止	

저기요, 7시 반부터 퍼레이드 시작하나요?
스미마셍, 파레－도와 시치지 항카라데스카.
すみません、パレードは しちじ はんからですか。

네, 맞습니다.
하이, 소－데스.
はい、そうです。

여기 앉아서 기다려도 될까요?
코코니 스왓테 맛테테모 이이데스카.
ここに すわって まってても いいですか。

죄송하지만, 저쪽에 앉아주시겠어요?
모－시와케아리마셍가, 아치라니 스왓테 이타다케마스카.
もうしわけありませんが、あちらに すわって いただけま
すか。

아, 네, 알겠습니다.
아, 하이. 와카리마시타.
あ、はい。わかりました。

120

네, 그리고 8시 반부터 불꽃놀이도 보실 수 있어요.
하이, 소레카라, 하치지 항카라 하나비모
미루코토가 데키마스.
はい、それから、はちじ はんから はなびも
みることが できます。

그렇군요! 불꽃놀이는 얼마나 하나요?
소ー난데스네! 하나비와 도노쿠라이 시마스카.
そうなんですね！ はなびは どのくらい しますか。

5분 정도 합니다.
고훙쿠라이 시마스.
ごふんくらい します。

아, 그런가요. 보고 가야겠네요. 고맙습니다.
아, 소ー데스카. 미테 이키마스. 아리가토ー고자이마스.
あ、そうですか。みて いきます。ありがとうございます。

정각 정각	변경시각 변경	着陸地 탑승지	便名 편명		
23:55	1:35	香港 홍콩	UO623		
0:05	0:15	ジャカルタ 자카르타	NH871	GA9351	
0:30		ドバイ 두바이	EK313	JL5093	
0:30		シンガポール 싱가포르	NH843	AC6228	
			SQ5905	UA7991	
0:30		バンコク 방콕	NH849	AC6273	
			TG6106	UA8003	
0:55		フランクフルト 프랑크푸르트	NH203	LH4921	
0:55		香港 홍콩	NH821	UA7931	
1:30		ホーチミン 호찌민	JL79		
1:55		ソウル(仁川) 서울(ICN)	MM809		
2:00		上海(浦東) 상하이(PVG)	9C8516		
2:00		上海(浦東) 상하이(PVG)	FM836		
2:00		北京 베이징	HU7920		
2:00		ソウル(仁川) 서울(ICN)	KE720	JL5257	
2:10		上海(浦東) 상하이(PVG)	MM899		
2:10		マニラ 마닐라	PR423	NH5331	
2:30		天津 톈진	BK2990		
2:45		ロンドン(LHR) 런던(LHR)	JL41		
5:00		台北(桃園) 타이베이(TPE)	IT217		
5:50		台北(桃園) 타이베이(TPE)	MM859		
6:10		ソウル(仁川) 서울(ICN)	OZ177	NH6895	
6:35		香港 홍콩	UO625		
7:10		北京 베이징	CA422	NH5763	
7:25		台北(松山) 타이베이(TSA)	CI223	JL5041	
8:25		ソウル(金浦) 서울(GMP)	JL91	KE5708	
8:30		北京 베이징	CA184	NH5731	
8:35		台北(松山) 타이베이(TSA)	JL97	CI9221	
8:40		上海(浦東) 상하이(PVG)	MU576	JL5791	
			FM576		
8:40		ソウル(金浦) 서울(GMP)	OZ1055	NH6983	
8:50		広州 광저우	JL87	CZ4851	
			MU8746		
8:50		ソウル(金浦) 서울(GMP)	NH861	OZ9101	
8:50		シンガポール 싱가포르	SQ631	NH6259	
			VA5603		

공항
쿠ー코ー
くうこう

지불
시하라이
しはらい

짐
니모츠
にもつ

버스 운행 시각표
바스노 지코쿠효ー
バスの じこくひょう

잔액
잔다카
ざんだか

환불
하라이모도시
はらいもどし

창가 쪽
마도가와
まどがわ

통로 쪽
츠ー로가와
つうろがわ

기내
키나이
きない

탑승권
치켓토
チケット

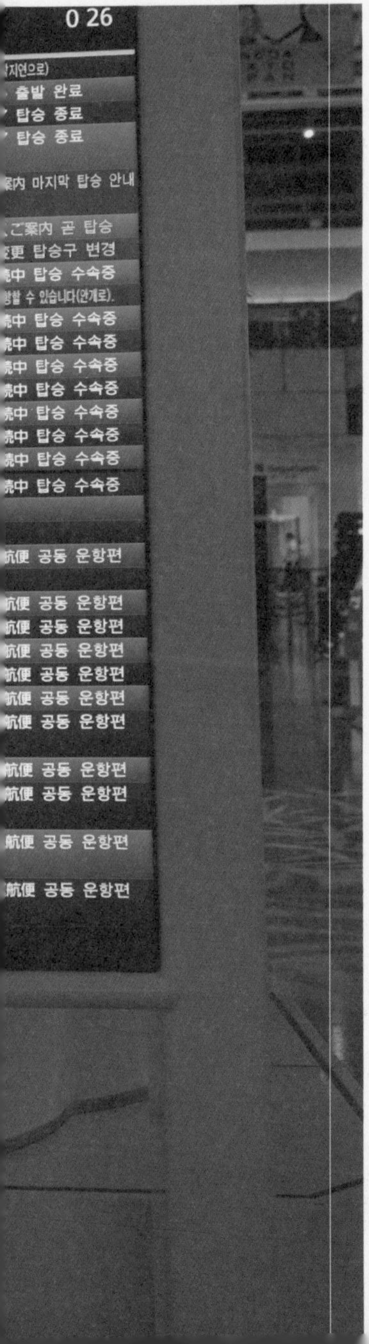

7 체크아웃하고 공항으로

チェックアウトしてくうこうへ

체크아웃을 하기 위해 짐을 챙기면서 빠진 물건이 없는지 방 안을 한 바퀴 둘러본다. 침대 이불 밑부터 화장실 선반 위까지 꼼꼼하게 보고 챙겼는데도 뭔가 두고 가는 느낌이 든다. "놓고 가는 건 여행의 추억뿐"이라는 남편의 우스갯소리에 오글거리는 표정을 지었지만 어쩜 정말인 것도 같다. 호텔 방에 남겨둔 것보다 훨씬 많은 추억을 캐리어에 담아 호텔 문을 나설 때면 아쉬운 마음만큼 빨리 집에 가고 싶은 마음도 든다. 돌아가고 싶은 일상이 있다는 걸 확인하는 것도 여행의 효용성 중 하나.

체크아웃은 몇 시인가요?
쳇쿠아우토와 난지데스카.
チェックアウトは なんじですか。

오전 11시입니다.
고젠 주 – 이치지데스.
ごぜん じゅういちじです。

체크아웃해주세요.
쳇쿠아우토 오네가이시마스.
チェックアウト おねがいします。

키오스크에서 해주세요.
지도 – 쉐 – 상키데 오네가이시마스.
じどうせいさんきで おねがいします。

미니바를 이용하셨요?
미니바 – 오 고리요 – 니 나리마시타카.
ミニバーを ごりように なりましたか。

사용하지 않았어요.
츠캇테 이마셍.
つかって いません。

지불은 어떻게 하시겠요?
오시하라이와 도 – 나사이마스카.
おしはらいは どう なさいますか。

125

현금(카드)으로 할게요.
겡킨 (카 - 도) 데 오네가이시마스.
げんきん(カード)で おねがいします。

(오후 4시까지) 짐을 맡길 수 있나요?
(고고 요지마데) 니모츠오 아즈캇테 모라에마스카.
(ごご よじまで) にもつを あずかって もらえますか。

짐을 찾으러 왔습니다.
니모츠오 토리니 키마시타.
にもつを とりに きました。

공항 가는 버스가 있나요?
쿠 - 코 - 이키노 바스와 아리마스카.
くうこう いきの バスは ありますか。

네, 여기 버스 시간표입니다.
하이, 코치라가 바스노 지코쿠효 - 데스.
はい、こちらが バスの じこくひょうです。

택시 불러주실 수 있을까요? 공항까지 가고 싶은데요.
타쿠시 - 오 욘데 모라에마스카. 쿠 - 코 - 마데
이키타인데스가..
タクシーを よんで もらえますか。くうこうまで
いきたいんですが…。

체크아웃 시간을 늦출 수 있을까요?
쳇쿠아우토노 지캉오
오쿠라세루 코토와 데키마스카.

チェックアウトの じかんを
おくらせる ことは できますか。

창가 쪽 자리로 해주세요

엔화 중 '5엔'⁵円은 "고엔"ごえん이라 읽는데, '고'ご는 뒤에 오는 단어를 꾸며주는 말이기도 하고 '엔'えん은 인연 연緣 자의 발음과 같다. 그래서 일본 사람들은 5엔짜리 동전이 '좋은 인연'을 상징한다고 여기며, 동전을 던져 소원을 빌 때 사용하거나 여행 중에 만난 특별한 사람에게 선물하기도 한다. 여행 중 별거 아닌 짧은 대화나 누군가의 작은 친절이 오래 기억에 남는 걸 보면 인연은 생각보다 거창한 게 아닐지도 모른다. 작은 동전에 사람들이 의미를 붙이고 마음을 나누듯이.

교통카드 잔액 환불되나요?
아이시 – 카 – 도노
잔다카노 하라이모도시와 데키마스카.
ICカードの ざんだかの はらいもどしは できますか。

창가(통로) 쪽 자리로 해주세요.
마도가와 (츠 – 로가와) 노 세키데 오네가이시마스.
まどがわ(つうろがわ)の せきで おねがいします。

맡기실 짐이 있으신가요?

오아즈케니 나루 오니모츠와 아리마스카.

おあずけに なる おにもつは ありますか。

파손주의 스티커를 붙여주실래요?

와레모노노추 – 이노 시 – 루오 핫테 모라에마스카.

われものちゅういの シールを はって もらえますか。

이 가방은 가지고 들어갈게요.

코노 카방와 못테 하이리마스.

この かばんは もって はいります。

주머니 안에 아무것도 없나요?

포켓토노 나카니 나니모 나이데스카.

ポケットの なかに なにも ないですか。

여권과 탑승권을 제시해주세요.

파스포 – 토토 치켓토오 오네가이시마스.

パスポートと チケットを おねがいします。

1인당 2개까지 구매 가능합니다.
히토리 후타츠마데 코 - 뉴 - 카노 - 데스.
ひとり ふたつまで こうにゅう かのうです。

잔돈을 사용해도 될까요?
코마카이 오카네오 츠캇테모 이이데스카.
こまかい おかねを つかっても いいですか。

약국	열
얏쿄쿠	**네츠**
薬局, やっきょく	ねつ

드럭스토어	약
도랏구스토어	**쿠스리**
ドラッグストア	くすり

병원	분실물 센터
뵤-잉	**와스레모노 센타-**
びょういん	わすれもの センター

파출소	구급차
코-방	**큐-큐-샤**
こうばん	きゅうきゅうしゃ

아프다	사고
이타이	**지코**
いたい	じこ

감기약 있나요?

아무리 일정이 짧은 여행이라도 방심해선 안 된다. 얼마 전 도쿄 여행에서는 출발 전날까지 멀쩡하던 목이 출발하는 날 아침부터 까끌거리기 시작하더니 비행기에서 내리자 목 구멍이 뜨끈하고 아팠다. 곧바로 '돈키호테'에 가서 도쿄에 사는 친구가 추천해준 목감기 약을 샀다. 일본에서는 '약'藥 이라고 쓰인 간판이 있는 드러그스토어에서 웬만한 상비약 은 다 살 수 있다. 감기가 아니더라도 혹시 모를 상황에 대 비해 몇 가지 표현은 기억해두는 게 좋겠다.

가까운 약국은 어디인가요?
치카쿠노 얏쿄쿠*와 도코데스카.
ちかくの やっきょくは どこですか。

병원/파출소
보―잉/코―방

머리가 아파요.
아타마가 이타이데스.
あたまが いたいです。

열이 나요. / 기침(콧물)이 나요.
네츠가 데마시타. / 쉐키 (하나미즈) 가 데마스.
ねつが でました。/ せき(はなみず)が でます。

다쳤어요.
케가오 시마시타.
けがを しました。

감기약 있나요?
카제구스리** 아리마스카.
かぜぐすり ありますか。

두통약/해열제
즈츠―야쿠/게네츠자이
위장약/진통제
이초―야쿠/친츠―자이

분실물 센터는 어디인가요?
와스레모노 센타―와 도코데스카.
わすれもの センターは どこですか。

가방을 잃어버렸어요.
카방*** 오 나쿠시마시타.
かばんを なくしました。

휴대폰/여권
케―타이/파스포―토

135

도와주세요!
테츠닷테 쿠다사이! (어떤 일을 거들어달라고 할 때)
타스케테 쿠다사이! (구조를 요청할 때)
てつだって ください! / たすけて ください！

구급차를 불러주세요.
큐－큐－샤오 욘데 쿠다사이.
きゅうきゅうしゃを よんで ください。

감기약	위장약	심한 두통
카제구스리 風邪薬	**이초－야쿠** 胃腸薬	**츠라이 즈츠－** つらい 頭痛
진통제 **친츠－자이** 鎮痛剤	멀미약 **요이도메** 酔い止め	열 **네츠** 熱
두통약 **즈츠－야쿠** 頭痛薬	연고 **낭코－** 軟膏	속쓰림 **무네야케** 胸やけ
해열제 **게네츠자이** 解熱剤	반창고 **반소－코－** 絆創膏	과식 **타베스기** たべすぎ
소화제 **이모타레, 이구스리** 胃もたれ, 胃薬	파스 **싯푸** 湿布, しっぷ	과음 **노미스기** 飲みすぎ
설사약 **게리도메** 下痢止め	통증 **이타미** 痛み	외상 **가이쇼－** 外傷

히라가나와 가타카나 읽기

あ 아	い 이	う 우	え 에	お 오
か が 카 가	き ぎ 키 기	く ぐ 쿠 구	け げ 케 게	こ ご 코 고
さ ざ 사 자	し じ 시 지	す ず 스 즈	せ ぜ 세 제	そ ぞ 소 조
た だ 타 다	ち ぢ 치 지	つ づ っ 츠 즈 ㅅ	て で 테 데	と ど 토 도
な 나	に 니	ぬ 누	ね 네	の 노
は ば ぱ 하 바 파	ひ び ぴ 히 비 피	ふ ぶ ぷ 후 부 푸	へ べ ぺ 헤 베 페	ほ ぼ ぽ 호 보 포
ま 마	み 미	む 무	め 메	も 모
や ゃ 야 ㅑ		ゆ ゅ 유 ㅠ		よ ょ 요 ㅛ
ら 라	り 리	る 루	れ 레	ろ 로
わ 와				を 오
ん 응				

140

ア 아	イ 이	ウ 우	エ 에	オ 오
カ ガ 카 가	キ ギ 키 기	ク グ 쿠 구	ケ ゲ 케 게	コ ゴ 코 고
サ ザ 사 자	シ ジ 시 지	ス ズ 스 즈	セ ゼ 세 제	ソ ゾ 소 조
タ ダ 타 다	チ ヂ 치 지	ツ ヅ ッ 츠 즈 ㅅ	テ デ 레 데	ト ド 토 도
ナ 나	ニ 니	ヌ 누	ネ 네	ノ 노
ハ バ パ 하 바 파	ヒ ビ ピ 히 비 피	フ ブ プ 후 부 푸	ヘ ベ ペ 헤 베 페	ホ ボ ポ 호 보 포
マ 마	ミ 미	ム 무	メ 메	モ 모
ヤ ャ 야 ㅑ		ユ ュ 유 ㅠ		ヨ ョ 요 ㅛ
ラ 라	リ 리	ル 루	レ 레	ロ 로
ワ 와				ヲ 오
ン 응				

	a	i	u	e	o	yu
sh				シェ she		
j				ジェ je		
ch				チェ che		
t		ティ ti	トゥ tu			テュ tyu
d		ディ di	ドゥ du			デュ dyu
y				イェ ye		
w		ウィ wi		ウェ we	ウォ wo	
f	ファ fa	フィ fi		フェ fe	フォ fo	フュ fyu
ts	ツァ tsa	ツィ tsi		ツェ tse	ツォ tso	
kw	クァ kwa	クィ kwi		クェ kwe	クォ kwo	
gw	グァ gwa					
v	ヴァ va	ヴィ vi	ヴ vu	ヴェ ve	ヴォ vo	ヴュ vyu

기본 숫자 읽기

0 케로/레ー ゼロ/れい	5 고 ご	10 주ー じゅう
1 이치 いち	6 로쿠 ろく	100 햐쿠 ひゃく
2 니 に	7 나나/시치 なな/しち	1000 셍 せん
3 상 さん	8 하치 はち	만 망 まん
4 용/시 よん/し	9 큐ー/쿠 きゅう/く	10만 주ー망 じゅうまん